MAR - - 2009

D1543824

lauren child

On peut TOUT à fait peut S'OCCUPER de TON chien

Traduction
de Nathalie Peronny

ALBIN MICHEL JEUNESSE

Charlie et Lola ™

Texte basé sur les dialogues écrits par Bridget Hurst et Carol Noble

Illustrations d'après
la série animée télévisée
produite par Tiger Aspect

puffin books
Publiés par Penguin Group, Penguin Books Ltd, 80 Strand, London WC2R 0RL
Grande-Bretagne

www.penguin.com

Pour l'édition française :
© 2006, Albin Michel Jeunesse, 22 rue Huyghens, 75014 Paris
www.albin-michel.fr
ISBN : 2 226 16 859 1 - N° d'édition : 13 272
Dépôt légal : premier semestre 2006
Imprimé et relié en Chine

Ça, c'est ma petite sœur Lola.

Elle est toute minuscule et très rigolote.

En ce moment, Lola voudrait très, très fort avoir un chien.

Mais papa et maman disent que c'est impossible,

que Lola est trop petite pour s'en occuper.

« Fais **ouaf**, Charlie »,
dit Lola.

Alors je fais :
« **Ouaf** ».

« **Assis** ! » dit-elle ensuite.
Alors je m'**assois**.

Maintenant,
mon bol de
céréales

est un

bol pour **chien**.

Elle m'a même fabriqué un petit lit pour **chien**.

Bref, Lola adore les **chiens**.

Énormément.

Un jour, on va au parc.

Il y a moi, mon copain Manu,
Lola et sa copine Léa.
Et puis Saucisse.
Saucisse, c'est le chien de Manu.

Lola adore Saucisse.

Et Léa, sa meilleure copine, l'adore aussi.

« Va lui demander, toi », dit Lola.
« Non, toi », dit Léa.

Alors Lola dit :
« Manu, est-ce qu'on peut s'occuper
de Saucisse ? »

« Tu t'y connais en chiens ? »
demande Manu.

« Bien sûr, dit Lola.
Je sais tout
sur les chiens. »

« Moi aussi », renchérit Léa.

Lola dit :

« On sait que Saucisse est un chien très, très extrêmement intelligent.

Et aussi, qu'il peut faire des tas de numéros super. »

« Même, s'il voulait, il pourrait être acrobate à vélo », dit Léa.

« Et jongler, dit Lola. Avec plein de trucs. »

Et danser.
 Ça, j'en suis super sûre.
Tu sais quoi, Léa ?
 Je crois

que Saucisse

sait

absolument

tout faire. »

« Et puis peindre
 et parler français »,
dit Léa.

« Et marcher
 sur
 deux
 pattes,
 dit
 Lola.

« Saucisse
est le plus
intelligent
des chiens,
dit Manu.
Regardez.

Saucisse. Assis.

Saucisse !
Assis !

Assis !
Assis,
Saucisse ? »

Pendant que Manu essaie
de faire asseoir Saucisse, je vois
des copains à nous en train
de jouer au foot, et j'ai vraiment
envie d'aller avec eux.

Alors je dis :
« Si on faisait juste une partie,
Manu ? »

« Mais qui va garder Saucisse ? »
demande Manu.

« Moi ! » crie Lola.

« Moi ! » crie Léa.

Et je dis :
« Il n'y en a pas pour très longtemps.
Tout se passera bien avec Lola et
Léa. J'en suis sûr. »

« OK, dit Manu.
　　　Mais vous savez
　　qu'il y a plein de règles
à respecter si vous voulez
　　　　　garder Saucisse.

Pas de **chocolats**.

Pas de **gâteaux**.

Et
　　pas touche
aux **bonbons**.

Interdiction de creuser...

et

de chasser les oiseaux.

Et

on ne saute pas dans les flaques.

Et
surtout,
NE lui enlevez
jamais
sa laisse.»

« Honnêtement, vous me promettez
de surveiller mon chien ? »
demande Manu.

« Honnêtement, on promet
tout à fait de surveiller
ton chien », dit Lola.

« Honnêtement promis,
tout à fait cap de surveiller ton chien, »
dit Léa.

« Il faut **caresser** les chiens
et les **tapoter** », dit Lola.

« Pour leur faire comprendre
qu'on est leur ami », dit Léa.

« Jouer, c'est...
ce qui rend les chiens heureux »,
dit Lola.

« Et quand on les brosse,
ils se sentent beaux », dit Léa.

« Il faut sortir les chiens
dehors pour les promener »,
dit Lola.

« Sinon, à quoi ça leur
sert d'avoir des jambes ? »
dit Léa.

Alors Lola dit :
« Léa, je pense vraiment que j'en sais
plus que toi sur les chiens. »

Et Léa dit :
« Lola, je sais absolument tout
sur les chiens. »

« Mais Léa, c'est moi
la responsable, ici », dit Lola.

« Ben, moi aussi », dit Léa.

Alors, Lola dit :

« On est responsables toi et moi, mais je crois que Manu a dit que j'étais un petit peu p

responsable. Tu vois, Léa, il faut tenir la laisse comme ça. OK ? » Et Léa dit : « Ah, non, Lola. C'est comme ça. »

« Oups ! »

« Saucisse, t'es où ? »

où es-tu, Saucisse ? »

« **Saucisse,**
où **es-tu ?** »

« Tu crois qu'on
l'a perdu pour toujours ? »
dit Lola.

« Je crois qu'il était triste,
en réalité », dit Léa.

Alors, Lola dit...

« Saucisse ! »

« Oh, non ! dit Lola.
Il y a deux Saucisse ! »

Et Léa dit :
« Non, Lola. Il y a deux chiens,
mais il n'y a qu'un seul Saucisse. »

« Oui, mais, lequel ? »
dit Lola.

« Je ne sais pas »,
dit Léa.

« Le plus intelligent !
dit Lola. Saucisse sait tout faire,
tu te souviens ? »

« Oui, dit Léa. Saucisse sait tout faire. »

« Comme s'asseoir, par exemple ! » dit Lola.

Alors Léa dit :
« Saucisse ! Assis. Assis. Assis ! »

Et Lola dit :
« Assis. Assis. Assis ! »

Léa dit :
« Assis, assis, assis, assis ! »

Alors, Lola dit :
« Regarde ! Ça doit être Saucisse.
Il s'assoit ! »

Une fois le match de foot fini, avec Manu,
on rejoint Lola et Léa.

« Allez, vous deux, je dis. C'est l'heure de rentrer. »

Mais Lola et Léa ont l'air nerveux.

Et elles chuchotent :
« Charlie, on était
avec Saucisse,
et on s'occupait de lui…

mais il est parti se promener, un peu...

sans sa laisse.
Et puis on le trouvait plus.
Après ça, on l'a retrouvé, sauf qu'il n'y avait
plus un, mais deux Saucisse.
Et donc... maintenant, on ne sait plus
si Saucisse
est bien
Saucisse. »

Alors je dis : « Quand on veut savoir le nom d'un chien,
il suffit de lire son collier. Regardez !
Numéro de chien : 144. Saucisse.

Propriétaire : Manu.
5, rue du Crocodile. »

« C'est sa plaque, dit Manu.
Il y a son nom et son adresse dessus, si jamais il se perd.

Tous les chiens en ont une. »

Et Lola dit :
« Oh, mais on le savait déjà, Manu. »

Et Léa dit :
« Tous les chiens.
Si jamais ils se perdent. »

Et je dis :
« Oui, tout à fait.
Si jamais
ils se perdent ! »

« Mais Saucisse ne peut pas se perdre », dit Lola.

« Non, dit Léa. C'est un chien très, très extrêmement intelligent. »

« Il sait tout faire », dit Lola.

« Oui, il sait absolument tout faire », dit Léa.